KB019393

오서산 엽신

오서산 엽신

烏棲山 葉信

박찬중 시집

동학사

책 머리에

　우연한 일로 충남 보령의 오서산(烏棲山) 자락에 묻혀 산 지 몇 해가 되었다.

　바다가 보이는 언덕마루에 살고 싶은 것이 젊어 꿈이기도 했는데, 그것이 이루어진 건지, 바다가 가까운 곳에서 큰 스승 같은 산에 기대어 살게 되어 위로가 크다.

　아직은 어설픈 산골사람이지만, 그간의 일상들을 짧은 엽신으로나마 전할 수 있어 기쁘고도 조심스럽다.

　늘 푸르소서.

2016년 봄
지은이

차례

•

烏棲山 葉信

한 묶음

—

구부러진 못

烏棲山 葉信

01

이사를 해보면 알지

오랜 세월, 참 많은

필요치 않은 것들을 끌고다닌

허접한 잡동사니를 보게 되지

그럼에도 또 끊임없이

새로운 것들을 찾고, 그를 위해

애를 태우기도 하지

언제일까

이 모든 것 버리고 떠나는 날

아주 멀리 이사하는 날

쓸쓸히 나뒹굴

허망한 욕망의 껍떼기들.

烏棲山 葉信

02

온 천지

사방

새 잎으로 가득하고

강물도 푸름으로 넘쳐

바다를 물들이는

새소리조차 푸르른

이 봄날

하느님, 아직도 초록 물감은 남으셨나요?

烏棲山 葉信

03

비 오면

비에 젖고

눈 오면

그 눈을 맞으리

바람 불면 흔들리고

밤이면 먼 별빛 우러르리

무얼 어쩌랴

나무여, 그렇게 살고 싶다.

烏棲山 葉信

04

이제야 겨우

산다는 일을 알 것 같은

또 영 아닐 것도 같은,

이런 생각들조차

부질없을

가을날

오후.

烏棲山 葉信

05

눈

며칠,

마을로 가는 길 끊이자

마음의 길 열려

오늘은 온종일

낯선 곳 헤매다 돌아왔습니다.

烏棲山 葉信

06

가고 오는

세월,

사람,

맞고 떠나보낸

동구 밖 느티나무여,

이제는 별이 되었거나

바람되어

먼곳 떠돌지라도

그들 가슴 속

그대는 지금도 자라는

그리운 산이거니.

烏棲山 葉信

07

지나고 보면

새로울 것도

급할 것 하나 없는

다 색 바랜 일 아니냐며

황토벽 해 지난 신문이

옛 일을 들려주네.

烏棲山 葉信

08

이젠 제법

산골사람이 다 된 양

몇 차례 들어오는

버스를 기다려 타고

읍내 장터로 나갑니다

창밖은 온통 초록

마을은 졸음에 겨워

움직일 줄 모르고

구름도 더위에 지친 듯

발길을 접었습니다

언젠가, 전생일까

한번쯤 지난 듯도 한

낯설지 않은 저 풍경 속으로

오늘은 나도 한 점 정물(靜物)이 됩니다.

烏棲山 葉信
09

뽀얗게

먼지를 뒤집어 쓴

쓰잖는

헛간의 농기구처럼

소리 없이 쌓이는

시간에 묻혀

잊혀지고 사라지는 것들의

지순한 아름다움이여.

鳥棲山 葉信

10

오래토록

살고 있다는 것은

젊은 날

뜨겁게 태워내지 못한

불토막 지금껏 남아

자꾸만

눈을 아리게 하는 것은 아닌지,

아궁이에 불을 지피다보면······.

烏棲山 葉信

쏟아지는 눈물을 주체할 수 없어, 끝내 순대국 한 그릇을 먹지 못했다는 사람아. 산다는 일이 막막하여 아득하고 한정없이 서러울 때, 뼛속 깊이 스미는 시린 외로움을 더운 국밥의 온기도 더 어쩌지 못하였구나. 그래도 우리들 영혼은 얼어붙은 밤하늘의 별처럼 빛나는 것인가, 위태로이 떨고 있는 걸까. 끝없이 밀려오는 이 아픔과 눈물 너머 살아야 할 무엇이 있기에, 저무는 시골 장터 한켠에 앉아 나는 홀로 국밥을 먹고 있는 것인가.

烏棲山 葉信

12

더러는
산기슭을 기웃거리고
때로는
포구에 머물며
늑장을 부리기도 하는
강물처럼
시간도 그렇게 흐르는
시골 버스 정류장에서
좀처럼 올 줄 모르는
차를 기다리는 오후,
어느덧 그림자 길게 기울고
걸어온 길 또한 아득하다.

烏棲山 葉信
13

나무도

한 생을 사는 동안

시름도 사연도 많아

이리 구불 저리 구불

평탄치 않아

그래도 하늘 향해

애써 오름으로

큰 숲 이루는 장엄을 보네.

烏棲山 葉信

14

노랑도 아닌

더더욱 초록은 아닌

10월의 들판,

얼마를 더 살아내야

익어가야

내 영혼 저 빛깔 지닐까.

烏棲山 葉信

15

먼 길 가다

잠시 겨울 들판에

내려앉는 새떼를 보며

더러 흘리고

잃기도 하는 것이

서운한 일만도 아님을 아네.

烏棲山 葉信

16

산은 높고

암자는 멀다

내일은

부처님 오신 날,

온몸을 짓누르는

쌀자루 이고

죄 많고 시름 많은

눈물의 이승길 걸어

할머니 홀로

산길을 간다.

烏棲山 葉信
17

이제 이쯤에서

그만 돌아갈 거나

가도 가도

그리운 얼굴 보이지 않고

나 또한

그 빛 되지 못함에

사위는 어둡고 외로울 뿐

한 잔의 술은

두 잔의 목마름을 낳고

한세월 기다림은

긴 세월 헛된 메아리뿐,

이제 그만 돌아가야 할 거나

막막한 바다에

눈 내리듯, 오늘은

답할 리 없는

받을 이 없는

편지를 쓰네.

烏棲山 葉信

18

저녁내

모닥불가 둘러앉아

환히 놀던 친구들

하나 둘 집으로 가고

어느덧 사위어가는 불길은

밤이 깊은 건가요?

이 먼 산중에도

부음은

죽음처럼 찾아옵니다.

烏棲山 葉信

19

대체로

산에 사는 식구들은

산을 닮기 마련,

크게 요란치 않고

순박하며

하루 먹는 일로 자족하고

내일을 염려하지 않는다

그럼에도, 산에 의탁하며

그를 닮지 못하는 것은

사람뿐이다.

烏棲山 葉信

20

헌 가구를 손질하다

당신을 만납니다

아아, 이처럼 구부러진 못도

소중히 펴 쓰시는

하나님!

두 묶음

—

꽃비 내리는 날

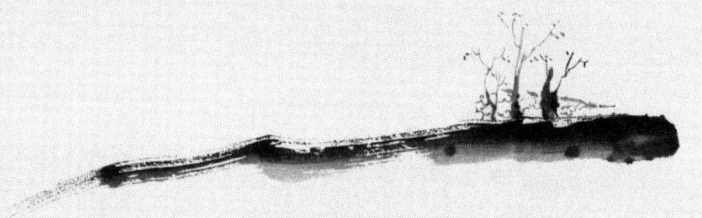

烏棲山 葉信
21

흰 손수건

한가득 내걸고

이 봄 또

누굴 기다리나,

긴 겨우내

시린 손 불어가며

키운 그리움 헛되이

오늘 또다시 목련이 지네.

烏棲山 葉信

22

아무일 없이

오늘도 해는 저물어

적막한 산길 돌아

홀연

그대 오러나

까닭없이 눈길 서성이는

바람 불어

꽃비 내리는 날.

烏棲山 葉信

23

논물

그렁그렁

실비

자우룩

기울면 흘러넘칠

가슴속

까닭 모를

슬픔

그렁그렁.

烏棲山 葉信

24

무엇이 그리 급한지

밤새

산을 남기고

떠나는 그대여

가서, 다시는 돌아오지 못할

세월이며

그와 더불어 떠나버린

추억의 물줄기여.

烏棲山 葉信

25

점령군처럼

막강한 기세로

자라는 아이처럼

하루가 다르게

갓 올라온 해녀처럼

검게 젖은 얼굴로

성큼

성큼

다가서는 녹음.

烏棲山 葉信

26

어쩐 일로

참나무와 감나무가

한자리에서 자라

유년을 보내고 또 젊음도 지나

둥두렷 중년에 이르렀습니다

서로의 영역을 넘보지 않고

서로의 방향으로만 열심히 자라

이제는 더 큰 하나,

마침내 산 같은 참감나무가 되었습니다.

烏棲山 葉信

27

그리 보채지 않아도

이제 곧 떠날 터에

바람은 종일 불어

온 산을 흔드네.

저기 저 상채기 같은

단풍 너머

이루지 못한 그리움 하나

낮달로 떠 야위어 가는데…….

烏棲山 葉信

28

아무도

찾아올 리 없는

저무는 산비알,

가진 것 모두

내어주고

긴 겨울

바람에 사위는

빈 옥수수밭

아, 어머니.

鳥棲山 葉信

29

밤새

눈은

기척도 없이

그대와 나 사이를

아득케 하고

몹쓸사

그리움만

눈 앞에 두네.

烏棲山 葉信

30

누가

이 길을 걸어

정적이 되었나,

산새도 날개를 접고

산길도

스스로 길을 접는

저무는 시린 어스름.

烏棲山 葉信

31

가꾸고

돌보지 않은

산비알,

늙은 호박을 따는

이 송구함.

烏棲山 葉信

32

달은

그물 같은

조각자나무 가지에 걸려

밤새 추위와 싸우다,

새벽녘 되어서야

핼쑥한 얼굴로

산 아래

제 집으로 돌아갔습니다.

烏棲山 葉信

33

이제 더 무엇을 말하리

얼음보다

견고하고

투명한 침묵 속으로

허공을 긋고 가는

산새마저 얼어붙는

겨·울·숲

烏棲山 葉信

34

무심한 햇살 아래

땅위의 모든 것

푸름과 쇠락을 더하듯

시간도 그와 같아

비루히 사라지는 것과

밤하늘 별처럼 빛나는 것들이

물비늘처럼 명멸하는

시간의 강물을 보네.

烏棲山 葉信

35

어제와 같은 오늘이

오늘과 같은 내일로

또다시 흐를지라도

나는 오늘도

편지를 씁니다.

烏棲山 葉信

36

이제는 작동을 멈춘

사랑이며 이별의 잔해들이

시간에 사위어가는

기억의 창고

그 낡은 빗장을 열면

아이들처럼 달려나오는

그리움.

烏棲山 葉信

37

사는 것이 헛헛하고
까닭없이 설운 날,
마음은
바람처럼 자리잡지 못하고
몸은 어이 정처 없는가
아아, 여기는
이승이라는 유배지.

烏棲山 葉信

38

종일

움직일 줄 모르는

찌만 바라보다

낚싯대를 접듯

아무 일, 생각없이

하루를 접는 일에도

점차 익숙해지고 있습니다.

烏棲山 葉信

39

또 어떤 하루는
술병에 기대어
흘러가는 구름의
긴 그림자를 보네.

烏棲山 葉信

40

사람은 죽어서도 외롭다

바람 잠시 머물다 가는

한낮의 적막을 지나

다시 이슬처럼 별빛 고이는

깊은 산중,

가서

다시는 오지 않을

시간을 향해 그는

홀로

누워 있다.

새벽 빗소리

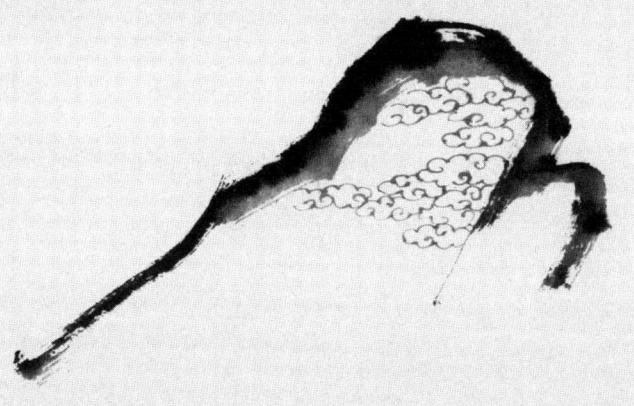

烏棲山 葉信

41

해지면 자고
해 뜨면 일어나는
산중의 나날,
더러는
어두운 창 밖
이른 잠을 깨우는
새벽 빗소리.

烏棲山 葉信

42

철로변

손 흔들던 아이들

모두 떠나고

바람처럼

차창을 스치는

개망초,

물버들,

시린 억새꽃.

烏棲山 葉信

43

한 사람의

생애가

그리 대단타 해도

끝내는

나무의 발 아래

한 줌 재로 뿌려지는 것을,

나무는

아는 듯 모르는 듯

먼 하늘만 바라볼 뿐.

烏棲山 葉信

44

콩은, 한지붕 깎지에서 태어나 올망졸망 어미의
젖을 빨며 저마다 몸을 키워가지요. 자라는 동안 서
로 다투기도 하고, 혹 몇은 병들어 죽기도 하며 점
차 어른이 되어 갑니다. 이윽고 다 자란 콩들로 콩
깎지 집안은 발 딛을 틈이 없게 되고, 이제는 어미
의 몸도 쇠잔하여 찬바람에 메마른 주름을 더할 뿐
입니다. 이윽고 자신의 생이 다했음을 깨닫게 되는
어미는 마지막 스스로 몸을 찢어 자식들을 멀리 떠
나보냅니다.

烏棲山 葉信

45

콩을 까다보면, 골고루 사이좋게 잘 여문 콩들이 있는가 하면, 그렇지 못한 경우도 허다합니다. 같은 종(種)임에도 대여섯 알이 실한 놈도 있고, 두세 알이 고작인 녀석도 있지요. 또 더러는 지나치게 크게 자란 한두 알에 눌려 콩 구실도 못한 채 자라다만 녀석을 볼라치면, 우리네 세상살이를 보는 듯하여 가슴이 짠합니다.

烏棲山 葉信

46

비, 바람, 눈, 뙤약볕

어렵기는

이들도 마찬가지,

그럼에도 나쁜 일 모르고

열심히 살아온 생애를

순교자처럼 내어놓는

무, 고구마, 감자, 옥수수

소, 돼지, 닭들…

부끄럽지 않아야 할 일이다.

烏棲山 葉信

47

거우내 눈 쌓여

커켜이 얼음 되고

발목 잡힌

어린 풀, 나무들

알몸으로

끝내 살아 남아

눈 녹아 흐르는

계곡 물에

발을 담그는 봄날.

烏棲山 葉信

48

봄 한철

꽃향기에 취해

마을은 조는 듯 깨는 듯

온종일 기척이 없고

꽃잎 펄펄

쌓이는 토담.

烏棲山 葉信
49

무료한 바람
졸음 겨운 풀꽃을
자꾸만 성가시게 하는
한낮,
좀처럼 일어설 줄 모르는
일요일 예배당
할머니 눈꺼풀.

烏棲山 葉信

50

온산 가득

흠뻑 젖은 몸

털어 말리는 8월은

다시 햇살 앞에

푸르고 푸르니

또 푸르고 푸르다.

烏棲山 葉信

51

밤새

성벽을 갉는

풀벌레 울음소리에

마침내 무너져 내리는

너, 여름 제국이여.

烏棲山 葉信

52

이젠 좀 쉬어야겠지

그 많은 자식들

낳아 기르고

또 떠나보냈으니

아무렴, 이젠 좀 쉬어야지

늘그막

아픈 허리 펴고 돌아눕는

저무는 빈 들판.

烏棲山 葉信

53

기쁨도
슬픔이랄 것도 없는
얼굴로

들으려 해도
들리지 않는
무성영화처럼

스쳐 지나만 가는
차창 밖

늦은 가을.

烏棲山 葉信

54

지난 여름 태풍에

꺾이고, 쓰러진 나무들이

우리네

이웃을 보는 것 같아

가슴 짠한

입동 무렵.

烏棲山 葉信

55

검붉게 내려앉는 저녁놀

사위어 가도록

움직일 줄 모르는

수묵의 오리 몇

점으로 떠 있는

싸락눈 흩날리는

겨울 샛강.

烏棲山 葉信

56

고행의 끝은 어딘가

피안(彼岸)인가

허무의 늪인가

다 모를 의문의 바다를 향해

밤새 산등을 넘는

나목(裸木)들.

鳥棲山 葉信

57

인적 끊긴

산중,

밤새 눈은

홀로 내려

지켜 보는 이를

더욱 홀로이게 하네.

烏棲山 葉信

58

요 며칠

숲속에 내린 눈은

아예 뿌리를 내리고

겨울을 나려 하니

둥지 잃은 산짐승들

산을 내어줄 수밖에.

烏棲山 葉信

59

아무도 없는
산중의 크리스마스

홀로 있어

홀로 만나는

당신,
예수.

烏棲山 葉信

60

온종일

길가 뙤약볕에 앉아

먹고 싶은 것 참고

아픈 몸 참고

하루쯤 쉬고 싶은 맘 참고

자식 위해, 손주 위해

눈물로 땀으로 한두 푼 모은 돈

그마저 가져야 했나,

많이 배운 사람들

가진 것만으로도

대대손손 잘살 사람들

가슴 아픈 돈 지켜줘야 할

벼슬 높은 사람들

머리 둘 곳 없어 고개 떨구는 사람들.

烏棲山 葉信

61

이 소꿉장난 같은 것

땅 따먹기 같은 거

쓱쓱 문지르고

툭툭 털고

바람처럼 머뭇거리지 말아야 하리

구름처럼 가벼워야 하리.

책 뒤에
—

산에는 꽃이 피네

산에는 꽃이 피네

박래부

| 문학 저널리스트. 한국일보 논설위원실장, 한국언론재단 이사장 역임

　서울 신림동에 오래 살아온 박찬중이 몇 해 전 충남 보령으로 거처를 옮겼다. 귀거래와 유사한 일종의 귀농이지만, 정확히는 이 둘 중 어느 것에도 해당되지 않을 것이다. 그곳 오서산 기슭에서 새로운 생활을 하다가 갑년을 맞게 되었는데, 산촌생활을 하면서 쓴 시들로 이 시집을 묶는다고 한다.

　'엽신(葉信)'이라고 명명된 그의 시들은 자신과 주변을 돌아보고 사유하며 안부를 전하는 짧은 편지 형식을 하고 있다. 뒤늦게 산골 사람이 되어 부친 엽서다.

어제와 같은 오늘이

오늘과 같은 내일로

또다시 흐를지라도

나는 오늘도

편지를 씁니다. 〈엽신 35〉

　그의 시들은 시공(時空) 양면에서 적지 않은 변화
를 맞게 된 자신의 일상에 대한 관찰기록서, 또는
보고서라고 말할 수 있다. 그에게 자신이 사는 산촌
과 그곳 사람들이 새롭기는 하지만, 낯설지는 않다.
그들은 오래 된 미래처럼 아늑하고 고즈넉하거나 정
겹다. 해 뜨면 일어나고 해지면 자는 산촌에서 그는
농작물을 거두고 집안일도 거든다.

　또한 하루 몇 차례밖에 들어오지 않는 버스를 타
고 전생에 한 번쯤 지난 듯한 풍경 속을 거쳐 읍내
장터로 간다. 저무는 장터에서 국밥을 사먹으며 두
고 온 사람들을 떠올리기도 한다.

　그러나 몇 년 동안 도회생활에 젖어 온 그에게 산

촌에서의 삶이라는 것이 애당초 외로운 것일 수밖에 없다. 산과 숲, 강물, 노을, 별과 달, 산길, 새떼, 구름, 농기구 같은 경건하거나 숭엄하거나 신비로운 것들과 더불어 있는 삶이기도 하지만, 그는 외롭다.

어린 시절, 친구들과 모닥불을 피워놓고 저녁내 얘기를 나누다가 불길이 사위어가면 하나둘 각자의 집으로 돌아가듯, 그는 산중에서 지인의 부음을 받으며 어찌할 수 없는 존재의 외로움을 느낀다.

아무 일 없이
오늘도 해는 저물어
적막한 산길 돌아
홀연
그대 오려나 〈엽신 22 중에서〉

아무도
찾아올 리 없는
저무는 산비알, 〈엽신 28 중에서〉

그는 산촌생활을 통해 인간이 고독하다는 것, 또 누군가를 그리워하는 존재라는 것을 절감하면서도 이러한 정서를 자연스럽게 받아들인다. 그는 새로운 환경에서 얻은, 새삼스럽고 간절한 깨달음을 담아 그리움에 관해 또는 그리움을 향해 편지를 쓴다. 그의 시는 소박한 어휘와 정겨운 리듬으로 가득할 뿐, 작위적인 허장성세가 없다. 그의 외로운 시는 때로는 그럭저럭 감당할 만한 고요함이나, 때로는 소주를 마셔야 견딜 만한 적막한 지점에 자리 잡고 있다.

사는 것이 헛헛하고
까닭 없이 설운 날,
마음은
바람처럼 자리 잡지 못하고
몸은 어이 정처 없는가 〈엽신 37 중에서〉

그러나 외로움과 그리움이라는, 삶에서 피할 수 없는 조건을 고요하게 들여다보면, 살아가는 이치가 보이고 깨달음도 온다. 격의 없는 친구처럼 문득 찾아오는 각성은 그가 자연과 같이 있기 때문에 얻어진다. 그 깨달음을 숙연한 표정으로 말해지는, 높은 철리라고 말할 필요도 없다. 그것은 순박한 이웃에 대한 애정으로 다정하고, 자연의 섭리를 따라 고요하고 엄연하다.

그는 가까이서 자라는 채소나 가축도 비, 바람, 눈을 맞아가며 인간 못지않게 어렵게 자란 후, 마침내 모두 순교자 같은 모습을 하고 있다고 여긴다. 생업과 관련하여 콩을 까면서도 우리의 손길이 닿지 못하는 섭리와 함께 존재에 대한 여린 연민을 느낀다.

콩을 까다보면, 골고루 사이좋게 잘 여문 콩들이 있는가 하면, 그렇지 못한 경우도 허다합니다. 같은 종(種)임에도 대여섯 알이 실한 놈도 있고, 두세 알이 고작인 녀석도 있지요. 또 더러는 지나치게 크게 자란 한두 알에 눌려 콩 구실도 못한 채

자라다만 녀석을 볼라치면, 우리네 세상살이를 보는 듯하여 가슴이 짠합니다. 〈엽신 45〉

이런 따뜻하고 예리한 시선이 있는 한, 사는 것이 외롭고 누군가가 몹시 그립더라도 절망할 일은 아니다. 지금까지 많은 시는 허무와 구원 사이에서 쓰여졌기 때문이다.

그에게도 허무와 구원 사이의 거리는 그리 멀어 보이지 않는다. 산중생활의 외로움과 자연 섭리에 대한 깨달음은, 늘 몸을 뒤섞으며 그리움의 강물로, 위안의 바다로 흘러가는 것이다.

지은이 박찬중

1952년 충남 금산에서 출생하여. 1981년 박두진 시인의
추천으로, 월간 〈현대문학〉지로 문단에 나옴. 〈배영사〉
〈샘터〉〈대원사〉 등에서 오랜 동안 책 만드는 일을 함.
시집으로 『억새』『어머니』와 단상집 『그래도 삶은
아름답습니다』가 있음. 2010년 충남 보령에 귀촌하여
전통식품(장류) 제조업을 운영하고 있다.

• 연락처 / 충남 보령시 중앙로 256
• 이메일 / uri4881@hanmail.net
• 핸드폰 / 010-8937-1395

오서산 엽신

초판 1쇄 인쇄 | 2020년 9월 7일
초판 1쇄 발행 | 2020년 9월 11일

지은이 | 박찬중

펴낸이 | 유재영   펴낸곳 | 동학사

출판등록 | 1987년 11월 27일 제10-149
주소 | 04083 서울 마포구 토정로 53 (합정동)
전화 | 02)324-6130, 02)324-6131
팩스 | 02)324-6135
이메일 | dhsbook@hanmail.net
홈페이지 | www.donghaksa.co.kr
       www.green-home.co.kr

ⓒ 박찬중, 2020

ISBN 978-7190-417-6 03810

정가 | 10,000원